ISBN: 978-1-7321173-0-3 (Paperback)
ISBN: 978-1-7321173-1-0 (eBook)

Imagen de portada y obras de arte de libros de Toby Mikle.

Primera edición de impresión 2018.

Son & Reign Publishers
PO Box 2940
San Francisco, CA 94126

PaulDeannoBooks.com

Dedicado a Suzy, Brock, CJ y Blake:
Ustedes hacen cada día …. más soleado.

Mami, mami, ¿sabías que cuando se forma una tormenta,
las nubes crecen y crecen?
¡Hay tanta agua contenida en la nube
que tan sólo una puede pesar **2 millones de libras!**

Vamos a compararlas con los elefantes.
Es absurdo pensar que un zoológico esté flotando en los
aires. Pero, mami, es que una nube pesa igual a
100 elefantes!

Papi, papi, cuando el océano está caliente
puede formarse la tormenta más potente.
Un tifón, un ciclón o un huracán.

Es la misma tormenta con distintos nombres.
Los vientos pueden soplar hasta **100 millas por hora**
y el océano puede subir 20 pies de altura.
Papi, eso es mucha fuerza.

¿Sabías que Alaska nunca ha sido impactada por este fenómeno?
En cuanto el agua del océano se enfría,
los huracanes pierden su energía.

Abuela, abuela, déjame contarte por qué
inmensos trozos de hielo pueden flotar en el cielo.
Las tormentas grandes crean nubes inmensas
y es cuando los truenos se escuchan muy ruidosos.

¡bruuum!!!

Dentro de la nube, flota el hielo, al que se le llama granizo
y cuando cae al piso lo deja muy resbaloso.
Aún en el verano, parece nieve.
Pero, nana, es hielo... y ahora ya tú lo sabes.

Abuelo, abuelo, me encantaría que tú escucharas esto.
El verano es la temporada más cálida del año.
Las temperaturas alcanzan los 100 grados Fahrenheit en cada estado, excepto en dos lugares.

FORECAST

| 84° S | 80° S | 83° M | 87° T | 84° W | 85° Th | 86° F |

Eso es fácil, uno es Alaska. Es un estado que se encuentra bien alto en el mapa.

Pero, ¿cuál es el otro? Bueno, esto es una trampa.

¿Maine, Vermont, Dakota del Norte? No.

En realidad, es un lugar donde crecen las palmas.

Adivina, abuelo. Inténtalo.

Es Hawái, el lugar donde el clima siempre es templado... pero casi nunca caliente.

Amigos, amigos, es hermoso ver
la nieve caer en mi patio, tan pacíficamente.
Todo está cubierto por una hermosa cobija blanca.
¡Qué vista tan mágica!

A veces me pregunto, ¿cuántos copos de nieve hay?
Debe haber millones bailando en el aire.
Encontrar dos iguales es algo muy difícil.
Sabías que en el mundo entero
no hay dos copos iguales.
Cada uno es diferente.

Hermano, hermano, ¿sabes qué hacer cuando hay una tormenta eléctrica cerca de ti?
Debes buscar refugio: no hay tiempo que perder.
La energía de cada descarga eléctrica es grande y caliente. Hasta **50 mil grados**.
Por eso no sería inteligente esconderte debajo de los árboles o de los arbustos.

50 mil grados

Tú primero vez la "luz" porque su velocidad es más rápida.
Debes esperar 30 minutos para volver a salir.
Ahora, hermano, suena como algo loco, pero es cierto, las
descargas eléctricas tocan tierra
8 millones de veces al día.

Tío, tío, mira que vista tan maravillosa,
cuando dos tipos de masas de aire se enfrentan... y luchan.
De un lado, el aire frío viene desde el norte,
Y por el otro lado viene el aire caliente... ellos batallan
una y otra vez.

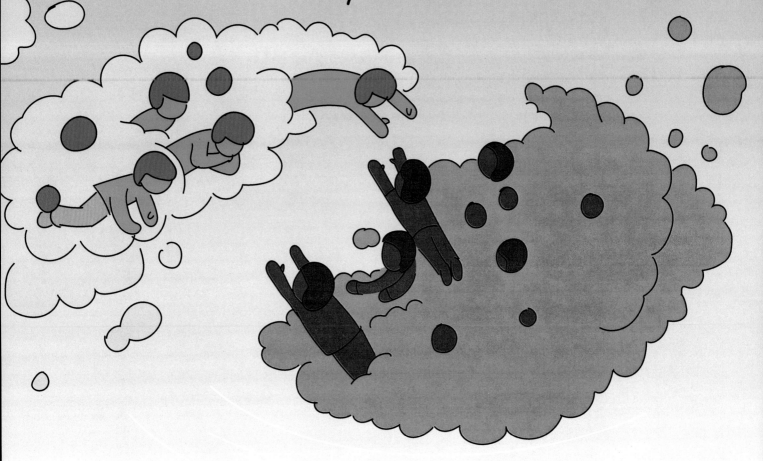

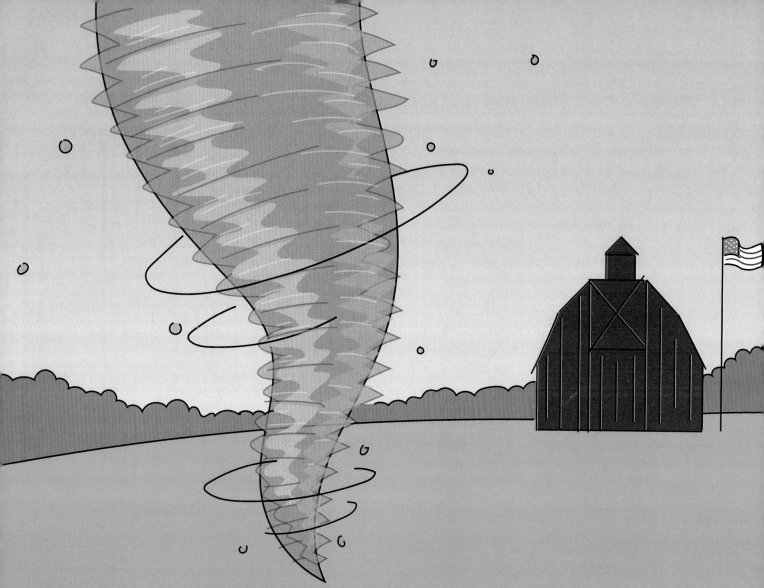

A veces, la batalla nos conducirá a un remolino,
Y entonces, allí es cuando no te podrás perder un tornado.
Los vientos más fuertes de la Tierra están dentro de ese espacio.
¿Sabías, tío, que en América se forman más tornados que
en cualquier otro sitio?
1200 al año para ser exactos.

Maestra, maestra, me parece genial
que la estrella más cercana, el Sol, es nuestra fuente
principal de calor.
Sin el Sol, la Tierra sería un lugar muy frío.
Sin viento y sin sol en mi cara.

Pero, ¿sabías que el Sol es muy grande y muy ancho?
Si lo pudiéramos abrir,
más de **un millon** de planetas Tierra
cabrían dentro.

Sobre el Autor

Paul Deanno es ganador de cuatro premios Emmy por su trabajo como pronosticador en algunas de las ciudades más importantes de Estados Unidos. Paul también es el primer meteorólogo en presentar su reporte del tiempo en todos los noticieros matutinos de las tres principales cadenas televisivas de Estados Unidos: Good Morning America (ABC), el Today Show (NBC), y CBS This Morning. Paul reside en el area de San Francisco con su hermosa esposa, Suzanne, y sus tres hijos.

Sobre la Autora

De padre cubano y madre española, Andrea se graduó Cum Laude de la Escuela de Comunicación de la Universidad de Miami con una doble especialidad en Ciencias Políticas. Durante sus años universitarios, fue presentadora del noticiero de la universidad. Además, hizo pasantías en WTVJ-NBC 6 y WFOR-CBS 4. Recibió el Premio de 25 Mejores Estudiosos de la CNN y la Beca de la Asociación Nacional de Periodistas Hispanos. Comenzó su carrera hace diez años en WLTV Univision 23 como reportera de asignación general donde desarrolló una amplia experiencia en la narración de noticias en vivo y de última hora y entrevistó a políticos de alto perfil incluyendo a Newt Gingrich y al Senador Marco Rubio. Tambien fue presentadora del noticiero local WGEN-TV. Andrea fue nominada al Emmy en dos oportunidades y actualmente trabaja como reportera de Noticiero Univision. Andrea está casada y tiene una hija, Camila.

¡WOW! El Tiempo.

Para leer el blog
meteorológico de Paul,
visite su sitio web:

PaulDeannoBooks.com

Made in the USA
San Bernardino, CA
31 August 2018